Pourquoi les chiens ont-ils le nez mouillé?

À mes petits-enfants,
Shani, Ravi, Chevi, Dassi, Cora, Mateo,
Santiago et Centainne — S.C.

Pourquoi les chiens ont-ils le nez mouillé?

Stanley Coren

Texte français du
Groupe Syntagme inc.

Éditions
SCHOLASTIC

Catalogage avant publication de Bibliothèque et Archives Canada

Coren, Stanley
Pourquoi les chiens ont-ils le nez mouillé? / Stanley Coren;
texte français du Groupe Syntagme inc.

Traduction de : Why Do Dogs Have Wet Noses?
Public cible : Pour les jeunes de 8 à 12 ans.
ISBN 0-439-94049-4

1. Chiens--Miscellanées--Ouvrages pour la jeunesse. I. Titre.

SF426.5.C6914 2006   j636.7   C2005-905332-1

Édition publiée par les Éditions Scholastic,
175 Hillmount Road, Markham (Ontario) L6C 1Z7,
avec la permission de Kids Can Press Ltd.

5 4 3 2 1   Imprimé en Chine   06 07 08 09

Références photographiques

Nous avons fait tout en notre pouvoir pour obtenir la permission d'utiliser
les photographies reproduites dans ce livre et pour accorder aux personnes
et entreprises concernées le crédit qui leur revenait. Toute information
supplémentaire qui nous sera signalée à leur sujet sera grandement
appréciée et sera ajoutée aux éditions subséquentes.

Abréviations : h = haut; b = bas

Photographie de la couverture : Photodisc, Inc.

p. 11 : Dale C. Spartas/Corbis; p. 13 (h) : photos.com; p. 25(b) : Melissa
McClellan; p. 28 : Dale C. Spartas/Corbis; p. 30 : Shaun Best/Reuters/
Corbis; p. 34 (h) : Robert Llewellyn/Corbis; p. 35 : Tom Stewart/Corbis;
p. 45: Dick Hemingway; p. 46 (h): Index Stock, (b) Tim Davis/Corbis;
p. 47 (h): Ivy Images; p. 51 : Photodisc/Getty Images; p. 54 : Dale C.
Spartas/Corbis; p. 55 : Keven R. Morris/Corbis; p. 57 : Dale C. Spartas/
Corbis; p. 63 : Ivy Images.

Toutes les autres photos : Photodisc, Inc., Stockybyte, JUPITERIMAGES.

Table des matières

Chapitre 1

Comment les hommes
et les chiens sont devenus amis

Les chiens ont plein de secrets. Leur façon de penser reste mystérieuse pour nous. Ils parlent avec d'autres chiens et avec les gens en utilisant leur propre langue. (Les chiens comprennent les autres chiens; mais les êtres humains n'ont aucune idée de ce que les chiens racontent.) Avec leurs yeux, leurs oreilles et leur nez, les chiens ne perçoivent pas le monde de la même manière que les humains. Les chiens savent, dès leur naissance, comment faire certaines choses ou réagir dans certaines situations. Comment l'ont-ils appris? Et, tout d'abord, comment les chiens et les humains ont-ils commencé à s'aimer?

Essayons ensemble d'élucider certains de ces mystères.

Les chiens sont-ils tout simplement des loups apprivoisés?

Certains chiens ressemblent beaucoup à des loups. D'autres, comme les saint-bernard ou les teckels, ne leur ressemblent pas du tout. Alors, les chiens étaient-ils autrefois des loups? Comment pourrions-nous le savoir?

On doit d'abord se demander si un loup et une chienne peuvent avoir des petits ensemble, et si leurs petits peuvent aussi, à leur tour, avoir des petits. La réponse est oui : le loup et le chien sont de la même famille (ou de la même espèce).

Les chiennes peuvent avoir des petits avec des loups, c'est un fait connu, mais aussi avec des chacals, des coyotes, des dingos, des chiens sauvages d'Afrique et même avec certains types de renards. On peut donc dire que le chien est un peu un mélange de tous ces animaux.

C'est pourquoi les chiens sont si différents les uns des autres.

La queue en dit long

Les huskys, les chiens de traîneau du Grand Nord, ressemblent à s'y méprendre aux loups arctiques. Comment faire la différence? Les loups n'ont jamais la queue dressée ou couchée sur leur dos. Ils ont toujours la queue basse.

Les chiens ont-ils été apprivoisés?

Selon certains, le premier chien était en fait un bébé loup qu'un homme préhistorique avait apprivoisé et gardait comme animal de compagnie. Selon d'autres, les chiens se sont apprivoisés eux-mêmes!

Les hommes préhistoriques chassaient très bien, mais ils faisaient mal le ménage. Après avoir tué et mangé des animaux, ils jetaient les os et les rebuts en petits tas près du village. Des loups ont eu une idée : « Pourquoi chasser quand il y a tant de bons os qui traînent? » Ils se sont donc installés près du village. Les habitants étaient contents parce que les loups mangeaient les détritus – ce qui chassait les odeurs et les insectes. Les loups avaient une autre utilité : ils aboyaient lorsqu'un animal dangereux ou un étranger s'approchait du village, et les habitants se sentaient en sécurité. Les loups les plus amicaux avaient le droit d'entrer dans le village. On leur donnait de bons morceaux à manger et on en prenait soin. C'est peut-être pour cela que certains ont décidé qu'il valait mieux être apprivoisés. Les humains les récompensaient de ne plus agir en bêtes sauvages.

Mais tous les humains n'ont pas agi de la même manière. L'homme de Néanderthal, par exemple, n'est jamais devenu un ami des chiens. Au début de l'ère glaciaire, la nourriture se faisait plus rare et les Néanderthaliens n'avaient pas de chiens pour les aider à en trouver ou à chasser. C'est en partie à cause de cela que l'homme de Néanderthal a disparu et que l'homme de Cro-Magnon, qui aimait les chiens, a pu survivre et devenir l'homme moderne.

N'est-ce pas là une magnifique récompense pour avoir donné aux chiens de la nourriture, un toit et de l'affection?

Depuis combien de temps les chiens et les humains sont-ils amis?

On a trouvé des os et des fossiles de chiens datant d'environ 14 000 ans près d'os et de fossiles humains. C'est donc dire que les chiens vivent en compagnie des hommes depuis très longtemps. Les chats, de leur côté, ne vivent avec les humains que depuis 7 000 ans environ.

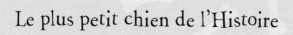

Le plus petit chien de l'Histoire

De quelle race était le plus petit chien? Un chihuahua? Non, c'était un terrier du Yorkshire qui appartenait à Arthur Marples, de Blackburn, en Angleterre. Il ne mesurait que 6 cm de hauteur à l'épaule, et seulement 9,5 cm du museau au début de la queue. Il était à peu près aussi gros qu'une livre de beurre, mais il pesait beaucoup moins : seulement 115 g, soit autant qu'un hamburger… sans le pain!

Le plus gros chien du monde

Zorba, un dogue anglais, est le plus gros chien jamais enregistré. Il pesait 156 kg et mesurait 252 cm de longueur du museau au début de la queue.

Un chien très petit ou trop petit?

À Bryant Park, dans la ville de New York, on cherchait à se débarrasser des pigeons qui laissaient leurs fientes partout. On a donc libéré des faucons spécialement entraînés. Les rapaces pouvaient aussi repérer et tuer les rats. Un de ces faucons, appelé Galan, a repéré une petite boule de fourrure cachée dans les buissons, et il a plongé pour l'attraper. Malheureusement, c'est un chihuahua qu'il a emporté dans ses serres. Oups!

Quel animal est le plus rapide?

Tout le monde sait que le guépard est l'animal le plus rapide au monde. Il peut courir à 105 km/h, mais ses pointes de vitesse ne durent que quelques secondes. Le lévrier anglais, lui, peut courir à sa vitesse maximale sur de longues distances, parfois jusqu'à 11 km. Un chien ordinaire peut courir à environ 30 km/h. Le lévrier anglais peut atteindre de 48 à 56 km/h! Dans un sprint, c'est le guépard qui gagnerait. Mais dans un marathon, le lévrier anglais aurait raison de son adversaire.

Quel chien est le plus lent?

Personne n'a déterminé quelle race était la plus lente, mais les chiens aux pattes courtes et au corps massif ne peuvent pas courir bien vite. Trois candidats se disputent la médaille du chien le plus lent : le bulldog anglais, le teckel et le basset.

Certains chiens ont l'air de fonctionner au ralenti, mais ils peuvent se démener s'ils le veulent! Les terre-neuve, par exemple, préfèrent de loin ne rien faire. Autrefois, lorsque le feu dans l'âtre était la principale source de chaleur des maisons, les terre-neuve pouvaient passer des heures à se prélasser devant la cheminée. De véritables tapis de fourrure vivants!

Combien y a-t-il de chiens dans le monde?

Si on additionnait la population des États-Unis, du Canada, de la Grande-Bretagne et de la France, on obtiendrait le nombre de chiens qu'il y a dans le monde, soit environ 400 millions.

C'est difficile de connaître le nombre exact de chiens, parce qu'il y a aussi, dans les rues, des chiens errants qui n'appartiennent à personne.

Y a-t-il plus de loups que de chiens?

Il y a beaucoup moins de loups que de chiens. Si on additionnait tous les loups qui existent dans tous les pays du monde, on en compterait environ 400 000. Comme il y a 400 millions de chiens, il y a mille fois plus de chiens dans le monde que de loups!

Pourquoi y a-t-il autant de chiens?

Une chienne peut avoir sa première portée lorsqu'elle a entre 5 et 18 mois. La chienne porte ses petits pendant 58 à 70 jours. Elle peut avoir deux portées par année, et chacune compte de 6 à 10 chiots. Près de la moitié de ces chiots seront des femelles, et, 5 à 18 mois après être nées, elles commenceront aussi à avoir des chiots. Et ainsi de suite. Une chienne et ses chiots femelles peuvent produire 4 372 chiots en sept ans!

Combien y a-t-il de races de chiens?

Préfères-tu les petits chiens pleins d'énergie ou les gros toutous qui bavent? La taille d'un chien, sa forme, sa couleur et sa personnalité dépendent de sa race. Il est possible de choisir un chien qui te convient parfaitement. Il existe plus de 700 races de chiens, mais certaines sont très rares. Des organismes spéciaux, les clubs canins, tiennent des registres des différentes races. La plupart des clubs canins ne reconnaissent que certaines de ces nombreuses races. Le Club canin des États-Unis en reconnaît environ 150, le Club canin canadien, environ 160.

Quelles races de chiens sont les plus populaires?

Chaque pays et chaque époque ont eu leur race de chien favorite. Depuis quelques années, aux États-Unis, les cinq races les plus populaires sont le labrador, le golden retriever, le berger allemand, le teckel et le beagle. Au Canada, les cinq races préférées sont le labrador, le golden retriever, le berger allemand, le caniche et le berger shetland. En Grande-Bretagne, ce sont le labrador, le berger allemand, le golden retriever, le west highland white terrier et l'épagneul cocker. As-tu remarqué que les trois races les plus populaires sont les mêmes dans les trois pays? Le plus populaire, toutes races et tous pays confondus, reste le labrador – et cela fait déjà un bon bout de temps.

Les races favorites selon les nations

CANADA	ÉTATS-UNIS	GRANDE-BRETAGNE
☆ Labrador	☆ Labrador	☆ Labrador
☆ Golden retriever	☆ Golden retriever	☆ Berger allemand
☆ Berger allemand	☆ Berger allemand	☆ Golden retriever
☆ Caniche	☆ Teckel	☆ West highland white terrier
☆ Berger shetland	☆ Beagle	☆ Épagneul cocker

Des chiens impopulaires?

Certaines races de chiens cessent d'être populaires. Si trop peu de personnes en font l'élevage, une race de chiens peut disparaître complètement. Voilà pourquoi on ne voit plus jamais de pointer espagnol, de chien tournebroche ou de lévrier à poils longs : ces races sont éteintes. En 2002, seulement 17 chiens à loutres et 23 harriers étaient inscrits au Club canin des États-Unis. Ces races de chiens sont donc en voie d'extinction.

Quelle race de chien est la plus ancienne?

On a trouvé en Égypte des peintures et des gravures représentant des greyhounds et des salukis qui datent de plus de 3 000 ans. Sur ces images, les chiens ressemblent d'assez près à ceux d'aujourd'hui. Même leur nom révèle des faits étonnants : greyhound (littéralement, chien gris) vient d'une erreur de traduction du nom allemand de la race, Greishund, qui signifie « chien ancien ». De plus, les greyhounds ne sont habituellement pas gris. Saluki signifie « noble », en langue arabe.

Quel âge a ton chien?

Tu as peut-être entendu dire qu'une année dans la vie d'un chien équivaut à sept années dans la vie d'une personne. Ce n'est pas vraiment comme ça qu'il faut calculer. Les chiots grandissent et changent très rapidement. À leur premier anniversaire, ils ont autant d'aptitudes physiques qu'un humain de 16 ans. À deux ans, ils ressemblent plutôt à un humain de 24 ans. Par la suite, chaque année de vie équivaut à cinq années de vie d'un humain.

Tu veux savoir quel âge a ton chien en années humaines? Disons que ton chien a 12 ans. Il a 24 ans à son deuxième anniversaire, puis vieillit de cinq ans tous les ans pendant les 10 années suivantes. Il aurait donc 74 ans en années humaines (24 + 50). Les gens vivent en moyenne 74 ans, et les chiens, environ 12 ans.

Le plus vieux chien connu

Le plus vieux chien dont l'âge ait été attesté était un bouvier australien nommé Bluey. Il est mort à 29 ans et 5 mois. En années humaines, il avait donc plus de 160 ans!

La race et l'espérance de vie

Les chiens de petite taille vivent plus longtemps que les grands chiens. Le lévrier irlandais, le plus grand des chiens, vit habituellement sept ans. Le grand danois vit en moyenne huit ans. Les caniches ordinaires vivent environ 11 ans, et les caniches-nains, environ 13 ans. Le Jack Russell terrier, un chien petit mais robuste, et le minuscule chihuahua vivent environ 14 ans.

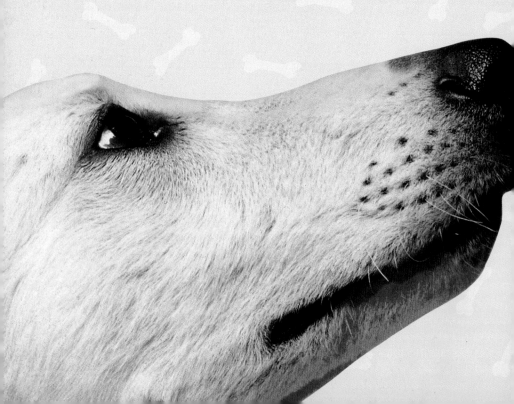

Pas plus loin que le bout de son nez

La forme de la face de ton chien peut aussi te
renseigner sur sa durée de vie probable. Les chiens
dont la face est allongée et pointue, et qui
ressemblent à des loups, vivent en général plus
longtemps. Les chiens dont la face est aplatie,
comme les bouledogues, vivent souvent moins
vieux. Évidemment, les chiens dont on s'occupe
bien vivront plus longtemps que
la moyenne.

Chapitre 2

Comment les chiens voient le monde

La forme des yeux, des oreilles et du museau des animaux est spécialement conçue pour les aider à trouver leur nourriture et à rester en vie. Grâce à leurs yeux qui se tournent dans presque toutes les directions, les lapins peuvent voir partout, même derrière eux! Ils peuvent donc échapper à leurs prédateurs, et c'est pourquoi il est si difficile de prendre un lapin par surprise. Les yeux des singes leur permettent de voir très loin. Ils peuvent donc repérer les branches auxquelles ils vont s'agripper quand ils se balancent d'arbre en arbre. Les premiers chiens étaient des chasseurs, et leurs yeux, leurs oreilles et leur nez sont conçus exprès pour chasser.

Il fait noir? Bof!

Les chiens voient mieux la nuit ou quand la lumière
est faible. Les chasseurs qu'ont pour ancêtres les
chiens d'aujourd'hui, chassaient tôt le matin ou au
crépuscule, et ils devaient avoir une bonne vision,
sous ce faible éclairage, pour repérer leurs proies.
Nous avons dans l'œil de longues cellules minces (les
bâtonnets) qui nous permettent de voir même quand
il fait sombre. Les chiens ont plus de bâtonnets que
les humains. Ils ont aussi, dans le fond de l'œil, une
surface spéciale, le tapis choroïdien, qui ressemble à
un miroir. Si tu braques une lampe de poche dans
la face d'un chien, le soir, ses yeux produiront un
intense reflet vert, assez étrange – c'est à cause de
ce tapis. Il réfléchit la lumière, ce qui donne plus
d'efficacité aux bâtonnets.

Les chiens voient-ils les arcs-en-ciel?

Les chiens voient les couleurs, mais pas aussi bien
que les humains. L'œil perçoit les couleurs grâce à des
cellules courtes et larges qu'on appelle les cônes. Les
chiens ont moins de cônes que les humains, ce qui
les rend un peu daltoniens. Ils peuvent différencier
les bleus et les jaunes, mais pas les rouges et les verts.
On aura même de la difficulté à entraîner un chien
à utiliser les choses bleues et les choses jaunes qu'il
reconnaît. Il semble que les chiens ne s'intéressent
pas beaucoup aux couleurs, finalement.

Tu n'aimes pas ton jouet?

Beaucoup de jouets populaires pour chien sont rouges ou
orange, mais ce n'est pas parce que les chiens aiment ces
couleurs. C'est parce que ces couleurs vives sont visibles
par les humains qui achètent le jouet. Mais si tu lances
un jouet rouge dans le gazon et que ton chien passe à côté
sans le voir, ce n'est pas parce qu'il est idiot. Aux yeux
d'un chien, le jouet rouge et l'herbe verte sont de la même
couleur, sauf que le rouge est un peu plus foncé.

Si ça bouge, je l'attrape!

Le chasseur n'a pas à distinguer les petits détails, comme les lettres imprimées sur une page, mais les choses qui bougent captent son attention : cela peut être quelque chose à chasser et à manger. Même si les chiens ne discernent pas les petites choses aussi bien que les humains, ils peuvent, beaucoup mieux que nous, voir les choses qui bougent. Pour eux, une personne qui se tient absolument immobile à 275 m est presque invisible. Mais ils verront facilement une personne qui se tient à 1,5 km et qui remue les bras!

Allô, j'écoute?

De quelle forme sont les oreilles des chiens qui entendent le mieux, pointues ou tombantes? Les chiens dont les oreilles sont pointues entendent mieux que les autres. Une oreille tombante couvre le trou par lequel le son pénètre et empêche le chien d'entendre tout ce qui se passe. Les chiens dont les oreilles sont pointues peuvent les tourner en direction du son pour mieux le capter. Les humains n'entendent pas aussi bien que les chiens. Certains sons que nous tolérons facilement, par exemple le bruit de l'aspirateur, peuvent être douloureux pour un chien.

J'entends passer les anges

Les chiens entendent mieux que les humains, mais ils peuvent aussi entendre une gamme de sons plus étendue. Ils perçoivent mieux, habituellement, les sons très aigus, comme les grincements. Certains chasseurs ou agents de police utilisent un sifflet « silencieux » pour donner des ordres à leur chien. Le sifflet n'est pas vraiment silencieux : il produit des sons si aigus que les chiens peuvent les entendre, mais pas les humains.

Tu parles trop fort, je n'entends rien!

Les bruits trop forts peuvent endommager l'ouïe d'une personne. C'est pourquoi, dans les endroits bruyants, on utilise souvent des protecteurs d'oreilles. Les sons trop forts nuisent aussi aux chiens. Les chiens de chasse, comme les retrievers, se trouvent souvent près du chasseur lorsqu'il tire un coup de fusil ou de carabine au cours d'une partie de chasse. C'est pourquoi tant de chiens de chasse deviennent sourds à un jeune âge.

Alerte! Un tremblement de terre!

Les humains ne peuvent entendre les fréquences subsoniques (des grondements très graves), mais certains chiens en sont capables. Les chiens dont la tête est grosse et carrée et dont les oreilles sont larges, comme les saint-bernard, sont ceux qui entendent le mieux ces sons graves. Les fréquences subsoniques sont audibles à travers la neige et aident le saint-bernard à trouver et à secourir les personnes prises dans une avalanche. Lorsqu'un tremblement de terre se prépare, les rochers qui se déplacent et se brisent, sous la croûte terrestre, produisent des fréquences subsoniques. En Chine et dans d'autres pays, les scientifiques se servent des capacités auditives particulières des chiens pour prédire les tremblements de terre et sauver des vies humaines.

🦴

C'est mon petit nez qui me l'a dit

Si les chiens pouvaient parler, ils ne diraient pas « il faut le voir pour le croire », ils diraient plutôt « il faut le sentir pour le croire ». Le nez d'un chien est environ mille fois plus sensible aux odeurs que celui d'un humain.

La paroi intérieure du nez d'un chien est tapissée jusqu'au fond de plusieurs replis jaunâtres dont les cellules captent les minuscules particules qui transportent les odeurs dans l'air. On trouve les mêmes replis dans le nez d'un humain, mais si on dépliait ce tissu, il couvrirait environ quatre timbres-poste. Si on dépliait celui des chiens, il couvrirait un grand foulard. Les humains possèdent quelque cinq millions de cellules olfactives, et les chiens, plus de 220 millions. Même si leur cerveau est plus petit que le nôtre, la partie qui sert à reconnaître les odeurs est quatre fois plus grande dans le cerveau des chiens que dans le nôtre.

Ça pue, mais il faut bien que quelqu'un le fasse!

Les humains utilisent l'odorat des chiens pour leur travail. On se sert de chiens pour trouver des armes à feu, des bombes, de la drogue et des aliments que des gens essaient de faire passer en contrebande d'un pays à un autre. Mais savais-tu que les chiens peuvent, grâce à leur odorat, retrouver des rats qui se cachent, des cadavres (même sous l'eau) et aussi des termites qui circulent à l'intérieur des murs d'une maison? Les policiers comptent sur l'odorat des chiens, pas seulement pour retrouver des criminels en fuite, mais aussi pour dépister des pyromanes – les personnes qui mettent délibérément le feu à un édifice.

Des ingénieurs qui travaillaient sur un pipeline transportant du gaz naturel soupçonnaient qu'il y avait des fuites de gaz, mais ils ne pouvaient les trouver, même avec les meilleurs instruments scientifiques. Comme ces fuites pouvaient provoquer des explosions et des incendies, ils ont fait appel à des chiens spécialement dressés. Les chiens ont trouvé près de 150 fuites de ce gaz dangereux – certaines étaient même situées à 12 m sous terre!

Médechien?

On a entraîné des chiens à localiser, grâce à leur flair, des cancers qui sont parfois trop petits pour être dépistés par les médecins. Ces chiens peuvent même indiquer qu'une personne souffre d'un cancer du poumon seulement en reniflant son haleine!

Pourquoi les chiens ont-ils la truffe froide et humide?

Si les chiens ont la truffe (bout du nez) froide et humide, c'est pour deux raisons. Premièrement, c'est pour eux une façon de se rafraîchir. La surface par laquelle l'eau s'évapore reste plus fraîche. Lèche le bout d'un de tes doigts, puis lève la main dans les airs. Tu remarqueras que le bout de ton doigt reste frais pendant que l'eau s'évapore. Lorsqu'un chien a chaud, il halète pour que l'eau s'évapore de sa bouche et de son nez. Cela le rafraîchit.

L'autre raison, c'est qu'une chose mouillée recueille mieux les petits objets. Un chiffon mouillé, par exemple, ramasse mieux la poussière qu'un chiffon sec. C'est la même chose pour les chiens. Quand leur truffe est humide, elle recueille mieux les minuscules gouttelettes de substances à l'odeur agréable qui flottent dans l'air – et les chiens adorent aller à la chasse aux odeurs.

Ma truffe à moi!

La forme des marques sur la truffe d'un chien est unique, tout comme la forme de tes empreintes digitales. On utilise souvent l'empreinte de la truffe d'un chien pour l'identifier, tout comme on utilise les empreintes digitales pour identifier une personne. Demande à ton père ou à ta mère de t'aider à prendre l'empreinte de la truffe de ton chien. Pour commencer, applique un peu de colorant alimentaire (jamais d'encre!) sur sa truffe. Ensuite, presse délicatement une feuille de papier dessus. Tu devras peut-être faire deux ou trois essais avant d'obtenir des empreintes nettes. Tu auras alors une copie de l'empreinte de la truffe de ton chien, qui est unique au monde.

Pas de chien dans la cuisine!

Les chiens sont très sensibles aux saveurs amères et les détestent. Ils évitent aussi certaines saveurs sures, comme celles des citrons ou des pamplemousses. Savais-tu que les chiens aiment les aliments sucrés beaucoup plus que les chats? C'est probablement parce qu'ils peuvent survivre un certain temps en ne mangeant que des fruits. Les chats, de leur côté, sont d'authentiques carnivores (même s'ils acceptent un peu de lait ou de fromage). Aucun chat ne s'abaisserait à manger des fruits – même si sa vie en dépendait!

Les chiens ne s'intéressent pas autant que nous aux saveurs. Nous goûtons grâce à des cellules spéciales qui se trouvent sur notre langue, les papilles gustatives. Les chiens possèdent environ 1 700 papilles gustatives, et les êtres humains, environ 9 000. Les chiens reconnaissent les saveurs sucrées, sures, salées et amères tout comme les humains. Mais ils possèdent aussi des papilles gustatives spéciales, qui leur permettent de reconnaître le goût de la viande et des aliments gras. C'est normal, car après tout, leurs ancêtres étaient chasseurs et carnivores.

Drôle de collation

Si les chiens ne font pas particulièrement attention au goût des aliments, c'est peut-être qu'ils ont l'instinct d'engloutir tout ce qu'ils mangent. C'est un instinct qui leur vient de leurs ancêtres chasseurs. Ils devaient en effet manger très vite pour que les aliments se trouvent en sécurité dans leur estomac avant qu'un animal plus gros essaie de s'en emparer. Mais cette façon de manger aboutit parfois à un régime étonnant!

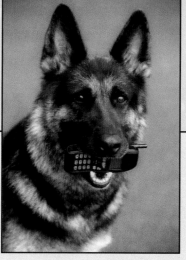

Dierdre McLennan, des Cornouailles, en Angleterre, a un beagle nommé Zach. Depuis qu'elle le connaît, Zach a mangé une bague, deux téléphones cellulaires, un chèque de 10 000 £ (environ 20 000 $), des pantoufles, des chaussures, 14 coussins et une foule de chaussettes et de pantalons. Mme McLennan se plaint : « Il a six ans déjà, il devrait être plus raisonnable. » Peut-être que Zach n'a tout simplement pas de goût!

Friandise maison

Tu voudrais donner à ton chien une friandise saine et facile à préparer? Verse un peu de bouillon de poulet (préparé avec de la soupe en sachet ou des cubes de bouillon) dans un bac à glaçons et place-le au congélateur. C'est un petit plaisir sain et qui ne coûte presque rien.

Si on te demande ce que c'est, tu peux répondre : « Une sucette glacée! »

Attention, poison!

Tu ne peux pas donner n'importe quoi à manger à ton chien. Tu aimes le chocolat, les noix macadamia, les raisins ou les raisins secs, mais ils peuvent être mortels pour ton chien. Les oignons, même cuits, sont aussi à éviter. Tout ce qui contient de la caféine, comme le café, le thé ou certaines boissons gazeuses comme le cola, peut aussi être nocif. Certaines personnes donnent à leur chien des cœurs de pommes ou de poires, des pêches avec le noyau. Malheureusement, les pépins de pomme et de poire et les noyaux des prunes, des pêches et des abricots contiennent de l'arsenic. Ton chien pourrait en mourir, et toi aussi, d'ailleurs!

Chapitre 3

Comment les chiens parlent

Selon un conte populaire du Zimbabwe, les chiens savent parler, mais ils ont décidé de ne pas le faire. Le héros de cette légende, Nkhango, a conclu un marché avec le chien Rukuba. Si Rukuba arrivait à voler le feu de l'un des dieux, les gens seraient ses amis pour toujours. Le chien a tenu parole et donné le feu aux hommes. Ensuite, Nkhango a demandé au chien de l'aider à chasser les animaux dangereux, à monter la garde, à rassembler les animaux et à faire toutes sortes d'autres tâches difficiles. Enfin, il a voulu que Rukuba porte des messages. C'en était trop! Après tout, le chien avait donné le feu aux hommes et considérait qu'il avait le droit de se reposer en se réchauffant près du feu. Rukuba réfléchit : « Les gens m'enverront toujours faire leurs courses, parce que je suis intelligent et que je peux parler. Si je ne parlais pas, je ne pourrais pas porter leurs messages. » Depuis ce jour, les chiens préfèrent ne pas parler. Mais ils savent parler; il suffit d'apprendre à les comprendre.

Pourquoi les chiens jappent-ils?

Comment te sens-tu lorsqu'un chien jappe après toi?
As-tu peur qu'il soit fâché et qu'il te menace? C'est
peut-être vrai, parfois. Mais la plupart du temps,
même s'il aboie fort et qu'il t'effraie, il envoie tout
simplement un message à sa famille. Ses aboiements
sont en réalité un avertissement pour la famille :
« Il se passe quelque chose! Venez voir! » En général,
quand il envoie ce message, le chien jappe deux
ou trois fois, s'arrête un peu, jappe
encore deux ou trois fois, et ainsi
de suite. Voici à peu près ce
que ça donne : « Ouah,
ouah, ouah… ouah,
ouah… ouah,
ouah, ouah… »

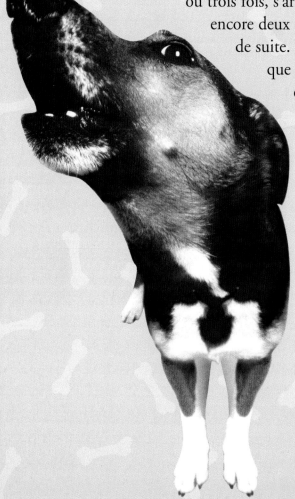

Comment faire pour qu'un chien cesse de japper?

Quand un chien se met à japper, beaucoup de gens lui crient après pour essayer de le faire taire. « Du calme! Tais-toi! » lui crient-ils. Mais ce n'est pas ça qu'il faut faire. Voici ce que le chien entend : « Ouah, ouah… ouah, ouah… » Ça te rappelle quelque chose? Pour un chien, une personne qui crie envoie un message d'avertissement, tout comme lui. Le chien pense : « J'ai jappé, et maintenant ma famille jappe aussi. C'est donc ce que je suis censé faire! » Alors, il jappe encore plus fort!

Si tu veux que ton chien cesse de japper, rappelle-toi qu'il veut que tu vérifies s'il y a un problème. Va le voir. Regarde dans la direction vers laquelle il jappe. Dis-lui calmement que tout va bien, et donne-lui de petites caresses. En général, il pensera ceci : « Ma famille m'a écouté, et tout va bien. Je peux donc me taire. »

Pourquoi les chiens hurlent-ils?

Les chiens jappent beaucoup et les loups hurlent tout autant. Mais le contraire n'est pas vrai. Les chiens ne hurlent pas souvent, et les loups jappent rarement. Le loup hurle pour signaler sa présence et inviter d'autres loups à le rejoindre. En hurlant, le loup attire d'autres membres de sa meute, et bientôt, ils hurlent tous ensemble. Le chien hurle pour les mêmes raisons que le loup, mais c'est en général parce qu'on lui a interdit d'entrer dans la maison et qu'il se sent seul. Si on veut être poli, on doit hurler en réponse à un chien qui hurle. Mais qu'est-ce que les voisins diraient? Il vaut mieux ne pas essayer! La meilleure solution, c'est de faire entrer ton chien afin qu'il te tienne compagnie. Il cessera de hurler dès qu'il ne sera plus seul.

Pourquoi certaines personnes croient-elles qu'un chien qui hurle annonce la mort?

As-tu déjà entendu dire qu'un chien qui hurle annonce la mort de quelqu'un? Il existe ces sortes de superstitions dans toutes les cultures, et elles ont souvent une explication logique. Cette superstition a probablement pris naissance lorsqu'une personne est un jour tombée très malade. La famille a interdit au chien d'entrer dans la maison ou l'a enfermé pour qu'il ne dérange pas. Le chien se sentait seul, alors il s'est mis à hurler. Quand la personne malade est finalement décédée, la famille s'est rappelé les hurlements et a pensé : « Notre chien a hurlé pendant la nuit où grand-père est mort. Peut-être savait-il qu'il était mourant? » Quelque temps après, en entendant un chien hurler, un membre de la famille a pensé qu'il savait qu'une personne était malade et allait mourir. Le bruit s'est répandu, et les gens ont commencé à avoir peur en entendant des chiens hurler. Tout cela, parce qu'un chien s'est senti seul!

Veux-tu un bisou?

Les chiens nous disent qu'ils sont en colère en produisant des sons graves et en grognant. Lorsqu'ils essaient de nous dire qu'ils ont besoin d'aide ou d'affection, ils émettent des sons aigus semblables à des gémissements. Fais l'expérience suivante. Dépose un beau baiser sonore sur le dos de ta main. En entendant ce son aigu, ton chien te regardera avec attention et se rapprochera pour voir si tu vas bien. Il peut même te lécher – il pense que tu as besoin d'affection.

Le langage de la queue

Comment sais-tu que ton chien est content? Parce qu'il remue la queue? Tu as en partie raison. C'est la vitesse à laquelle il remue la queue qui te montre à quel point il est content. La hauteur de sa queue te renseigne aussi. Si le chien a la queue bien haute et qu'il la remue rapidement, mais par petits coups, c'est qu'il est irrité ou qu'il veut montrer qu'il est le maître. S'il a la queue plus basse que d'habitude et qu'il la remue lentement, c'est que quelque chose l'inquiète ou qu'il ne comprend pas ce qu'on lui demande. Lorsque sa queue est à mi-hauteur et qu'il la remue largement d'un côté et de l'autre, c'est qu'il est heureux et qu'il se sent en confiance.

Le langage des oreilles

As-tu déjà expliqué quelque chose à quelqu'un en te servant seulement de tes mains? Les chiens font la même chose, mais ils utilisent leurs oreilles. Pour comprendre, il faut observer l'animal. S'il les tient hautes et vers l'avant, c'est qu'il est en colère ou qu'il veut montrer qu'il est le maître. S'il les tient basses et vers l'arrière, c'est qu'il est inquiet ou craintif. Il est plus difficile de comprendre les chiens dont les oreilles sont tombantes.

Chien aux oreilles tombantes inquiet ou apeuré

Chien aux oreilles pointues inquiet ou apeuré

Chien aux oreilles tombantes en colère ou dominateur

Chiens aux oreilles pointues en colère ou dominateur

Veux-tu jouer avec moi?

Les chiens adorent jouer. Quand ils veulent s'amuser,
ils étendent leurs pattes de devant sur le sol, jusqu'au
coude, le derrière en l'air, et remuent la queue. Ils
sont « en position de jeu ». Ils vont parfois produire
un bref aboiement pour dire que le jeu peut
commencer. Si tu te mets à quatre pattes et que tu
frappes le sol avec ton avant-bras, ton chien pensera
que tu l'invites à jouer. Alors, il se mettra en position
de jeu, ou bien il bondira autour de toi ou sur toi :
il est prêt pour une bonne partie de lutte.

Messages odorants

Pourquoi les chiens s'intéressent-ils autant aux arbres, aux clôtures et aux bornes-fontaines?

Quand un chien renifle l'endroit où d'autres chiens sont passés, c'est comme s'il lisait un journal canin : il y apprend les dernières nouvelles au sujet de ses voisins à quatre pattes. Les chiens écrivent avec leur urine des messages à l'intention des autres chiens. Les messages disent beaucoup de choses : que l'auteur est un mâle ou une femelle, qu'il est jeune ou vieux, en bonne santé ou malade, heureux ou irrité.

Pourquoi les chiens lèvent-ils la patte pour uriner?

Quand ils écrivent un message sur un lampadaire, les chiens indiquent aussi leur taille. En levant la patte, les chiens visent le plus haut possible l'arbre ou le lampadaire pour avoir l'air plus grand. Certains chiens sauvages d'Afrique essaient même de grimper en haut des troncs d'arbre, pendant qu'ils urinent, afin de paraître très, très grands.

Les messages écrits à l'urine ne sont pas seulement malodorants. Ils créent d'autres problèmes. En Croatie, des lampadaires se sont mis à tomber. Les scientifiques ont découvert qu'une substance chimique présente dans l'urine des chiens mâles provoquait la corrosion du métal!

Pourquoi les chiens se roulent-ils dans les ordures?

Des œufs pourris, des ordures puantes et des crottes – ce sont les odeurs les plus agréables du monde… au nez d'un chien. Se rouler dans des matières malodorantes est un autre instinct que les chiens ont hérité de leurs ancêtres. Les odeurs fortes masquent la propre odeur du chien. Il peut donc plus facilement surprendre les autres animaux. Le chasseur qui n'a pas l'odeur des chasseurs attrapera plus de proies.

Pourquoi les chiens détestent-ils les chats?

Les chats et les chiens communiquent grâce au langage corporel. Ils utilisent les mêmes signaux, mais ceux-ci n'ont pas le même sens. Quand un chien voit un chat qui remue la queue en faisant de larges mouvements d'un côté et de l'autre, il bondit près de lui pour lui dire bonjour et s'attend à être bien reçu. Mais le chat le griffe et le mord. Pourquoi? Quand un chien remue sa queue ainsi, c'est un signal amical. Quand un chat fait la même chose, c'est pour dire qu'il est en colère. Le chien croit alors que le chat est menteur, et il ne fera jamais confiance à un autre chat. Cependant, un chien peut en venir à comprendre les chats avec lesquels il vit. Mais pour lui, les autres chats resteront des menteurs et des ennemis!

Les chiens peuvent-ils aimer les chats?

À Bristol, en Angleterre, un jour qu'il faisait frais, une bande de garnements ont volé un chaton. Ils l'ont jeté dans une mare et ont attendu qu'il se noie. Soudainement, un retriever du Labrador appelé Puma s'est jeté dans la mare et a attrapé le chaton. Puma devait sûrement penser qu'il s'agissait d'un accident, parce qu'il a sorti le chaton de l'eau et l'a déposé aux pieds des garçons. Les enfants ont ri et ont rejeté le chaton dans l'eau. Puma a encore bondi dans la mare, mais cette fois, il a nagé jusqu'à l'autre rive, avec le chaton, et est rentré en courant chez lui. Lorsque sa famille a ouvert la porte, il s'est engouffré dans la maison et a déposé le chaton près d'une source de chaleur, puis il a veillé sur lui pour ne plus qu'on lui fasse de mal. La famille a gardé le chaton et l'a appelé Lucky, ce qui veut dire chanceux, parce qu'il avait eu de la chance de trouver un ami comme Puma.

Est-ce qu'un chien peut apprendre à être un chat?

À Philadelphie, un homme a ramené chez lui un jeune chiot appelé Flash. Sa chatte Mildred venait de donner naissance à plusieurs chatons, et elle a adopté Flash en le traitant comme s'il était l'un de ses chatons. Flash s'est mis à se comporter comme un chat. Ses jouets favoris étaient des jouets de chat. Il a même appris les manières d'un chat, et, en particulier, à se laver les pattes avec sa langue, puis à se les passer sur la face et les oreilles pour les nettoyer.

Chapitre 4

Comment les chiens pensent

Les chiens sont capables de faire bien des choses que les humains ne peuvent pas faire. Certains chiens sont plus rapides que les gens. Nous savons avec certitude que les chiens peuvent sentir et entendre mieux que les gens. Pour leur taille, les chiens sont très forts. Mais les gens sont plus intelligents que les chiens. Cependant, pour comprendre ce qu'un chien pense, il faut être très futé.

Comment les chiens pensent-ils?

Les chiens réfléchissent, apprennent, trouvent une solution à leurs problèmes et ont des sentiments. Le cerveau des chiens est formé de la même manière que le nôtre. À titre de comparaison, disons que les chiens sont à peu près aussi intelligents qu'un enfant de deux ou trois ans. Ainsi, ils peuvent comprendre de 150 à 200 mots, y compris les signes et les gestes de la main qui veulent dire la même chose que des mots.

Plus intelligents qu'on ne le croit

Les chiens peuvent apprendre à faire des choses que personne ne leur a enseignées. Les saint-bernard patrouillent dans les sentiers de montagne, dans les Alpes, après les tempêtes de neige, pour retrouver les voyageurs perdus. Les chiens travaillent mieux en équipe de trois ou plus. S'ils trouvent une personne en mauvaise posture, deux chiens se coucheront près d'elle pour la réchauffer. L'un d'eux lui léchera le visage pour essayer de la réveiller. Pendant ce temps, le troisième chien retournera vers les sauveteurs et les ramènera sur les lieux. Ces chiens n'ont jamais suivi un entraînement spécial. Les chiots apprennent ce travail en participant à des patrouilles avec les chiens plus vieux.

Bon chien, mais mauvais chauffeur

Johnny Vaughan, animateur d'une émission télévisée de Grande-Bretagne, a assisté à la démolition de sa voiture sport par son bulldog, Harvey. De retour d'une visite chez le vétérinaire, Johnny a fait un arrêt pour laisser Harvey se dégourdir les pattes. Lorsque Johnny est sorti de la voiture, Harvey a bondi sur le siège du conducteur et a actionné le levier de vitesses pour passer en première. Ensuite, il a sauté en bas du siège et a appuyé sur l'accélérateur. L'auto est entrée avec fracas dans l'arrière d'un gros camion. Lorsque Vaughan a appelé sa compagnie d'assurance, on lui a dit qu'on ne lui rembourserait pas le coût très élevé des réparations parce qu'il avait laissé une personne sans permis de conduire valide prendre la route!

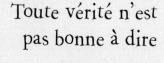

Toute vérité n'est pas bonne à dire

À Dewsbury, en Angleterre, un cambrioleur entré par effraction dans un domicile a dû s'enfuir rapidement par une fenêtre en entendant les propriétaires qui rentraient. Il aurait pu s'en tirer, mais il avait laissé son chien Roxy sur les lieux. Les propriétaires ont trouvé le chien abandonné, l'ont mis en laisse et sont partis en promenade. Tout heureux, Roxy a conduit le couple directement vers son maître, qui habitait quelques pâtés de maisons plus loin. Plus tard, en fouillant la maison du cambrioleur, les policiers ont retrouvé des preuves de son crime. Voici ce que les victimes ont déclaré : « Il aurait dû laisser son chien chez lui : ce n'était sûrement pas son meilleur ami ce soir-là. »

Les chiens savent-ils compter?

Les chiens ne peuvent peut-être pas calculer la racine carrée du chiffre neuf, mais ils savent faire quelques additions et soustractions. Des chercheurs ont montré des piles de friandises à des chiens, puis les ont cachées derrière un écran. À certaines piles, ils ont ajouté des friandises ou en ont soustrait, et ils ont laissé d'autres piles telles quelles. Puis ils ont ôté l'écran. Les chiens ont observé plus longtemps les piles modifiées que les piles intactes. Ils montraient plus d'intérêt pour les piles modifiées. On peut donc croire que les chiens savent compter, ou même additionner et soustraire. Ce n'est pas une raison pour leur donner une calculatrice de poche – ils auraient plutôt tendance à s'en servir comme d'un jouet à ronger!

Pourquoi les pointers pointent-ils?

Quand ils sentent la présence d'un animal, certains chiens de chasse tournent la tête dans sa direction et s'immobilisent. Parfois, ils s'immobilisent tellement vite qu'une de leurs pattes de devant reste en l'air. On dit alors qu'ils sont à l'affût. Dans cette position, les chiens les plus efficaces sont les pointers, mais d'autres chiens, comme les setters, se mettent aussi à l'affût. C'est un comportement hérité de leurs ancêtres chasseurs, les loups. Quand un loup voit un cerf, il ne peut pas aboyer pour dire aux autres loups : « Venez vite, il y a un cerf! » Le cerf les entendrait et s'enfuirait. Au lieu de cela, le loup cesse de bouger et regarde en direction du cerf. Les loups savent donc dans quelle direction regarder et ils peuvent se préparer en silence à la chasse. Les chasseurs humains profitent de cet instinct des chiens. Les pointers et les setters indiquent aux chasseurs la cachette des oiseaux et des lapins. Mais ils le font si silencieusement que les animaux ne s'enfuient pas.

Pourquoi les colleys rassemblent-ils les troupeaux?

Pour contrôler un troupeau de moutons d'une certaine taille, il faut 10 hommes ou… un homme et un colley. Sans les chiens, il en coûterait beaucoup plus cher aux hommes pour garder les troupeaux d'animaux. Les colleys peuvent veiller sur les troupeaux de moutons, de bœufs ou même d'oies et les mener d'un endroit à un autre. Comme dans bien des cas, l'aptitude à garder des troupeaux est un héritage de l'instinct de chasse des loups. Lorsque les loups chassent, ils encerclent un troupeau de cerfs ou de moutons sauvages afin qu'aucune bête ne s'échappe. Ensuite, ils les dirigent vers un endroit d'où il leur sera plus difficile de s'échapper et ils les attaquent. Le chien de berger travaille très dur. À lui seul, un chien fait le même travail que toute une meute de loups – sauf que son but n'est pas de tuer les bêtes ni de les manger.

Qu'est-ce qu'un colley?

Le colley est aussi appelé berger écossais. Autrefois, il gardait des petits moutons à face noire que l'on trouvait seulement en Écosse. Ces moutons s'appelaient des moutons écossais, et les chiens qui les gardaient ont en quelque sorte hérité de leur nom, lequel est maintenant utilisé pour définir certaines races de chiens de berger, même ceux qui gardent du bétail, des cochons, des chèvres ou des oies et qui n'ont peut-être jamais vu un mouton écossais!

Pourquoi les chiots mâchent-ils les chaussures?

Les chiots veulent explorer leur monde. Ils n'ont pas de mains, alors ils se servent de leurs yeux, de leurs oreilles, de leur truffe et de leur gueule. S'il réussit à prendre une pantoufle entre ses dents, ton chiot trouvera qu'elle a un goût intéressant. Il la mâchonnera pendant quelque temps pour savoir si c'est bon à manger, et ta pantoufle se retrouvera bientôt en piteux état. Si les chiots mâchonnent ainsi, c'est aussi parce qu'il leur pousse des dents. Leurs gencives sont douloureuses, et cela leur fait du bien de mâchonner. Tu veux empêcher ton chiot de tout détruire parce qu'il fait ses dents? Mouille un vieux chiffon et place-le au congélateur jusqu'à ce qu'il soit gelé. Donne-le ensuite à mâchouiller à ton chiot, et la douleur s'apaisera. Replace le chiffon au congélateur autant de fois qu'il le faudra : voilà un jouet efficace pour la dentition!

La curiosité est un vilain défaut

Les chiennes devraient enseigner ce dicton à leurs petits. Les chiens curieux se retrouvent pris dans toutes sortes de situations, et il leur arrive même d'avaler des jouets. Les bergers allemands semblent les moins chanceux, ou les plus curieux, des chiens. Les borders colleys, les braques allemands et les grands danois ont eu aussi une foule de mésaventures. Certains accumulent les problèmes, même lorsqu'on essaie de les aider. Tinker, un berger allemand, venait d'être opéré par le vétérinaire, car il avait avalé un jouet de bonne dimension. L'opération avait réussi, mais l'animal est revenu sur la table d'opération quelques heures plus tard à peine. En effet, pendant que personne ne le surveillait, Tinker avait mangé tous les tubes de plastique que le vétérinaire avait installés pour que les médicaments se rendent directement dans son sang après l'opération!

Les chiens rêvent-ils?

Le cerveau des chiens ressemble tellement à celui des humains qu'il n'est pas étonnant qu'ils rêvent eux aussi. On peut savoir à quel moment ils rêvent : il suffit de les observer. Lorsqu'un chien dort profondément, il respire très régulièrement, sa poitrine se soulève et s'abaisse lentement. Lorsqu'il rêve, sa respiration change. Il n'inspire plus aussi profondément, et sa respiration est saccadée. Tu peux voir ses muscles tressaillir bizarrement et l'entendre faire de drôles de sons. Regarde bien ses yeux : tu peux les voir bouger sous ses paupières. C'est qu'il regarde ce qui se passe dans son rêve, comme si cela arrivait réellement.

À ronfleur, ronfleur et demi

Les chiens ronflent tout comme les humains. Les chiens dont la face est aplatie, comme les carlins et les bulldogs, sont les plus susceptibles de ronfler. Un mastiff napolitain appelé Sumo ronflait tellement fort qu'il dépassait la limite de bruit permise par les règlements municipaux! Son maître a même été poursuivi devant les tribunaux : les voisins ne pouvaient pas dormir à cause des ronflements!

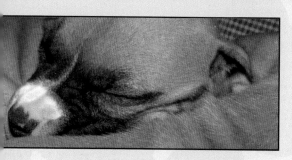

Pendant combien de temps les chiens rêvent-ils?

Les petits chiens rêvent plus que les grands. Pendant son sommeil, un caniche jouet peut rêver toutes les 10 minutes. Un grand danois ou un mastiff imposant ne feraient qu'un rêve par heure de sommeil. Mais si les gros chiens rêvent moins souvent, leurs rêves durent plus longtemps. Au total, la durée des rêves d'un chien dépend de son âge. C'est la même chose chez les humains. Les rêves des chiots accaparent plus de leur temps de sommeil que ceux des chiens adultes.

De quoi rêvent les chiens?

Est-ce que ton chien chasse les lapins pendant qu'il
rêve? Comment peut-on savoir à quoi rêvent les
chiens puisqu'ils ne nous le disent pas? Chez tous les
animaux (y compris les hommes), il existe une partie
du cerveau qui empêche le dormeur de faire en réalité
ce qu'il fait dans son rêve. Lorsque les scientifiques
bloquent cette partie du cerveau, les animaux
bougent et se déplacent comme l'exige leur rêve.
Quand cette partie de leur cerveau était bloquée,
les borders colleys rassemblaient des troupeaux de
moutons pendant leur sommeil, les chiens de chasse
partaient à la recherche d'oiseaux et les bouviers
allemands protégeaient leur maison contre
les voleurs, et tout cela, en dormant.
De quoi rêvent les chiens?
D'activités que font
les chiens.

Rêves au sujet de chiens

Certaines personnes croient que les rêves au sujet d'un chien permettent de prédire l'avenir. Elles croient que les rêves à propos d'un chien noir ou gris annonce un malheur. Il existe beaucoup d'interprétations de rêves concernant les chiens. Un rêve au sujet d'un chien blanc annonce de bonnes choses et un rêve au sujet d'un chien blanc et roux indique qu'une personne malade se rétablira rapidement. Si on rêve d'un dalmatien dont le pelage est noir et blanc, on vivra d'importants changements ou on se fera beaucoup d'amis ou d'ennemis. Les chiens qui jappent annoncent la bonne fortune, et les chiens qui hurlent, la malchance. Les chiens qui grognent et qui mordent dans notre rêve nous avertissent qu'une personne de notre connaissance n'est pas digne de confiance. Si tu rêves qu'un chien te lèche la figure, c'est que l'amour et la chance te souriront. Mais ouvre d'abord les yeux pour t'assurer que c'était bien un rêve – c'est peut-être aussi ton chien qui essaie de te réveiller.

L'art du déguisement

À Irvine, en Californie, trois voleurs ont pénétré dans un chenil pour s'emparer de deux bébés pitbulls. Ils avaient l'intention de vendre ces chiots, qui allaient devenir de gros chiens méchants, à des criminels qui organisaient illégalement des combats de chiens. Lorsqu'ils ont apporté les chiots à un vétérinaire pour les faire vacciner, on leur a appris qu'il s'agissait en réalité de... chihuahuas! Grâce à des micropuces greffées dans leurs oreilles, on a pu prouver qu'il s'agissait de chiens volés. Les voleurs ont maintenant tout le temps d'apprendre à distinguer les races de chiens... en prison!

Le signe du Chien

Chaque année du calendrier chinois, qui s'étend sur un cycle de 12 ans, est placée sous le signe d'un animal. L'année de ta naissance correspond à un animal, et c'est « l'animal qui se cache dans ton coeur ». Selon la légende chinoise, Bouddha a convoqué tous les animaux pour leur dire au revoir lorsqu'il a quitté la Terre. Mais il n'en est venu que 12 : le rat, le bœuf, le tigre, le lièvre, le dragon, le serpent, le cheval, le mouton, le singe, le coq, le cochon et, bien sûr, le chien. Bouddha a donc attribué une année à chacun. Les personnes nées ou qui naîtront en 1958, en 1970, en 1982, en 1994, en 2006 et en 2018 sont ou seront du signe du Chien. Leur personnalité et leur comportement devraient rappeler ceux du chien. Ce sont des personnes honnêtes et loyales, pour qui la justice est importante. Elles peuvent aussi être têtues ou inquiètes, et fuir les foules ou les rassemblements bruyants. Quelle est l'année de ta naissance? Es-tu Chien? Est-ce que tu as des traits communs avec le Chien? Connais-tu une personne née sous le signe du Chien?